CHERS AMIS RONGEURS,
BIENVENUE DANS LE MONDE DE

Geronimo Stilt

Texte de Geronimo Stilton.
*Basé sur une idée originale d'*Elisabetta Dami.
Direction artistique de Iacopo Bruno.
*Couverture d'*Andrea Da Rold *(dessins) et* Alessandro Muscillo *(couleurs)*.
Conception graphique de Laura Dal Maso / theWorldofDOT.
Illustrations des pages de début et de fin de Roberto Ronchi *(dessins)*,
Ennio Bufi MAD$_5$ *(dessin page 123)*, Studio Parlapà *et* Andrea Cavallini *(couleurs)*.
*Cartes d'*Andrea Da Rold *(dessins) et* Andrea Cavallini *(couleurs)*.
Illustrations intérieures : idée de Matt Wolf, *dessins de* Flavio Ferron,
*encrage d'*Andrea Denegri, *couleurs de* Silvia Bigolin.
Graphisme de Laura Zuccotti, Beatrice Sciascia, Francesco Marconi,
Angela Simone *et* Benedetta Galante.
Traduction de Titi Plumederat.

www.geronimostilton.com

Pour l'édition originale :
© 2000 Edizioni Piemme S.p.A. – Palazzo Mondadori, Via Mondadori, 1 – 20090 Segrate, Italie
sous le titre *Il galeone dei Gatti Pirati*.
International rights © Atlantyca S.p.A. – Via Leopardi, 8
20123 Milan, Italie – www.atlantyca.com
contact : foreignrights@atlantyca.it
© 2015 pour la nouvelle édition
Pour l'édition française :
© 2003 et 2016, Albin Michel Jeunesse – 22, rue Huyghens – 75014 Paris
Blog : albinmicheljeunesse.blogspot.com
Loi 49 956 du 16 juillet 1949 sur les publications destinées à la jeunesse
Dépôt légal : premier semestre 2016
Numéro d'édition : 14979/34
ISBN-13 : 978 2 226 32448 1
Imprimé en France par Pollina s.a. en mars 2018 - 84182B

Geronimo Stilton

LE GALION DES CHATS PIRATES

ALBIN MICHEL JEUNESSE

MONTRE-TOI, STIL-TON !

Quel remue-ménage, ce matin-là, quand j'arrivai à mon bureau ! Six cents **souris** hérissées et le **sourcil** froncé gesticulaient sur la place. Le museau en l'air, on aurait dit qu'elles fixaient les fenêtres de la salle de rédaction ! Puis elles se sont mises à scander :

– **STIL-TON ! STIL-TON !**
MONTRE-TOI, STIL-TON !
GERONIMO STIL-TON !

Heureusement que personne ne m'avait reconnu : Geronimo Stilton, c'est moi ! Rapide comme un rat, je me suis *faufilé* au milieu de la foule, j'ai poussé la porte de service et grimpé l'escalier quatre à quatre. Au moment où j'entrai dans mon bureau, tout essoufflé, ma comptable s'est jetée sur moi :

– *Monsieur Stilton !* C'est horrible ! chicota-t-elle en secouant sous mon nez l'annuaire que nous venions de publier. Monsieur Stilton, il n'y a pas une seule adresse de correcte dans les PAGES JAUNES de Sourisia ! Pas une !

Pâle comme un camembert, je feuilletai frénétiquement l'annuaire.

– Adresses... e-mails... numéros de téléphone... Tout est faux ? *Je suis ruinééé !* m'écriai-je en m'arrachant les moustaches de désespoir.

À ce moment, une nouvelle clameur monta de la foule. Je m'approchai de la fenêtre : au centre de la place s'élevait un immense feu de joie. C'étaient mes annuaires qu'on BRÛLAIT !!!

Une souris particulièrement déchaînée tendit la patte dans ma direction :

– Le voilà, c'est lui ! C'est Geronimo Stilton, l'éditeur, celui qui a publié les PAGES JAUNES ! Celui qui a mis la ville sens dessus dessous !

La foule scandait :

– **STIL-TON ! STIL-TON ! MONTRE-TOI, STIL-TON !**

Soudain, tous les téléphones du bureau SoNNèreNt en même temps, tandis que le fax se mettait à débiter des mètres et des mètres d'insultes.

– Je veux parler à *monsieur Stilton* ! Passez-moi cette tête de reblochon !

– Nooon, monsieur Stilton n'est pas là... Je ne sais pas où il est, c'est possible, allez savoir, pourquoi pas, peut-être qu'il reviendra... répondis-je d'une voix de fausset, pour qu'on ne me reconnaisse pas.

Je débranchai tous les téléphones. Mais le fax

continuait de crachouiller des lettres de protestation, tandis que des messages de menace clignotaient sur les écrans d'ordinateur :

– On sait où tu te caches, on va venir te chercher !

– *Monsieur Stilton*, c'est un désastre ! Une catastrophe ! Tout est faux, même notre numéro de téléphone : c'est celui de l'usine de papier hygiénique *Le Simoelleux* ! couinait ma comptable en larmes.

– Calmez-vous, mademoiselle Flanelle, je maîtrise parfaitement la situation... enfin presque, criai-je en attrapant au vol avec mes dents les feuilles que le fax débitait en rafale.

LA CERISE
SUR LE GÂTEAU !

À ce moment, Sourisette, ma secrétaire, toqua à la porte.

– *Monsieur Stilton*, votre cousin Traquenard veut vous parler !

– Je n'y suis pour personne ! criai-je.

– Euuuh… il dit que c'est très urgent !

– *Je-ne-suis-pas-là !*

Une minute plus tard, mon cousin, une souris plutôt **potelée** au museau ʳᵤˢᵉ́, entra dans la pièce, s'assit et posa les pattes sur mon bureau.

Excédé, je glapis :

– Qu'est-ce qu'il y a ? Tu ne vois pas que je suis occupé ? Et puis, s'il te plaît, ôte tes sales pattes de mon bureau !

–Eh là, mon cousin, qu'est-ce qui te prend ? chicota-t-il en mâchonnant un cure-dents.

J'enlevai mes lunettes pour mieux pleurer.

– Je me suis fourré dans un joli pétrin, ça ne se voit pas ? Ah, j'aurais dû choisir un autre métier, je ne sais pas, moi, maître nageur ou pâtissier...

– Tss tss tss, déjà que tu t'es fourré dans un beau pétrin et que, pour t'en sortir, ça ne sera pas de la tarte... Si tu étais pâtissier, je préférerais avoir les pattes sciées plutôt que de goûter tes gâteaux...

Et Traquenard partit d'un grand éclat de rire.

– Comment, m'ex**CLA**mai-je furibond, comment oses-tu te moquer de moi ?

Je fus interrompu par la sonnerie du téléphone.

– Si c'est pour moi, je t'en prie, réponds que je ne suis pas là, demandai-je à mon cousin.

Il décrocha et lança, d'un ton très professionnel :

– *Groupe éditorial Stilton*, bonjour ! Non, *monsieur Stilton* est absent... Ah, vous avez bien raison, c'est un nigaud... une vraie tête de reblochon, oui en effet... Mais comment

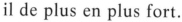

donc, je m'en doute... Ça, c'est très juste, il y a des choses qui ne se font pas ! Oui, c'est la cerise sur le gâteau ! braillait-il de plus en plus fort.

Il raccrocha et me regarda :

– La cerise sur le gâteau, c'est toi !

J'étais fou de rage.

– Je t'avais demandé de répondre que je n'étais pas là, pas de donner raison au premier inconnu qui appelle !

– Ce n'était pas un inconnu, c'était Savarin Gratin, le fameux cuisinier. Au lieu du numéro de téléphone de son restaurant, tu as donné celui de la décharge municipale ! Je préfère ne pas répéter les noms dont il t'a gratifié...

Soudain, le visage de mon cousin s'illumina.

– Au fait, sais-tu quel bon vent m'amène ? Hein ? Le sais-tu ?

– Tu es venu me donner le coup de grâce ! grommelai-je.

– Non, je suis venu te tirer du pétrin, pâtissier !
Sais-tu ce que j'ai à te proposer ? Hein ?

– Comment le saurais-je ? Et d'abord, est-ce que
tu peux enlever tes pattes de mon bureau…

– Ainsi donc, commença-t-il…

Savarin Gratin

J'AI LES MOUSTACHES QUI SE TORTILLENT

– Ainsi donc, tous les mercredis soirs, à la télé, ils passent une émission sur les mystères…
– Et alors ? demandai-je.
– Il paraît que, dans les mers du Sud, près de l'archipel Griffu, on a observé une île tout en

argent. Mais le plus incroyable, c'est qu'elle ne reste pas en place et qu'elle bouge tout le temps. Alors je me suis dit : et si on partait à sa recherche !

– Il n'en est pas question, répliquai-je. Tu sais bien que *je DÉTESTE les voyages...*

Traquenard prit son air roublard.

– Pourtant, ça ne te ferait pas de mal de disparaître un peu de la circulation : je ne t'ai pas dit que l'équipe de rugby de Sourisia t'attendait en bas sur la place ? Ils hurlent qu'ils veulent te... je ne me souviens plus exactement du mot qu'ils

murmura murmura ont employé, mais ce n'était pas joli joli, murmura murmura-t-il.

Puis il reprit :

– Tu aurais vraiment intérêt à te faire oublier un peu. Et puis songe à cette île mystérieuse. J'ai les moustaches qui se tortillent rien qu'à l'idée de tout cet argent ! J'oubliais : Téa et Benjamin sont partants. Il n'y a que toi qui refuses de venir, toujours aussi égoïste…

Brusquement, la porte s'ouvrit à toute Volée.

Je sursautai, puis poussai un soupir de soulagement : c'était ma sœur Téa.

– Tu sais que les PAGES JAUNES sont truffées d'erreurs ? Je voulais réserver une table pour un dîner romantique au BISTROT DU FROMAGE D'OR avec mon nouveau fiancé

(je t'ai dit que j'avais un nouveau fiancé ?), mais je suis tombée sur une clinique qui m'a proposé une chambre avec tente à oxygène et vue sur les urgences !
Elle me fit un clin d'œil.

– Franchement, ça, c'est la cerise sur le gâteau...

– Je ne veux plus entendre parler de cerise ni de gâteau ! m'écriai-je, exaspéré.

C'est alors que le serveur du bar entra avec les six tasses de camomille que je venais de lui commander.

– Euh, *monsieur Stilton*, savez-vous que vous avez confondu le numéro de ***PIZZA EXPRESS*** avec celui des **URGENCES** ? Hier soir, j'ai commandé une pizza au fromage, et on m'a livré une ambulance à la place. L'infirmière a dit que l'hôpital allait vous faire un procès. C'est vraiment la cerise sur le gâteau, non ? conclut-il en ricanant.

Je bouillais, mais je parvins (je me demande encore comment) à me calmer.

C'est alors que mon neveu, le petit Benjamin, arriva en trottant.

– Tonton, tonton, j'ai une chose **très importantante** à te dire ! J'ai vérifié, et ton nouvel annuaire est bourré d'erreurs. Mon école reçoit plein d'appels destinés à un salon de tatouage. Qu'est-ce que c'est un tatouage, tonton ? À propos, le directeur de l'école a deux mots à te dire à propos de tes gâteaux à la cerise…

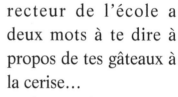

Je fermai les yeux et inspirai un grand coup. Puis je criai d'une traite à Traquenard, qui sursauta et en avala presque son cure-dents :

– C'est bon, tu m'as convaincu, on part ! Et tout de suite !

DÉPART
À L'AUBE

Le lendemain matin, à l'aube, nous nous retrouvâmes sur la plage orientale de Sourisia, où Traquenard gonflait d'air chaud un énOrme **ballon violet** à **pois jaunes**.

– Qu'est-ce que c'est ? Où as-tu trouvé ça ? m'écriai-je.

– Oh, c'est une montgolfière d'occasion. Je l'ai eue pour trois fois rien au marché aux puces.

– Nous sommes vraiment obligés de voyager en montgolfière ? Et tu ne

pouvais pas la prendre d'une autre couleur ? soupirai-je. Je *DÉTESTE* *les voyages...*

Téa chargeait déjà dans la nacelle les sacs de sable qui servaient de lest. Benjamin ne tenait plus en place.

– Tonton, tu me prends en photo devant la montgolfière ?

Au bout d'une demi-heure, le **ballon** gonflé à bloc se soulevait du sol ; au bout d'une heure, nous larguions les amarres et nous élevions lentement dans les airs. Je m'assis au fond de la nacelle, chaussai mes lunettes et écrivis dans mon journal de bord : « **Six heures vingt-cinq,** nous quittons la plage orientale de Sourisia. Une brise nord-nord-ouest souffle sans mollir et nous pousse vers l'*archipel Griffu*... »

Jour après jour, je notais dans mon journal tout ce qui se passait à bord de la montgolfière : changements de direction du vent, variations d'altitude et repérages en mer.

MER MER MER MER MER MER MER MER

Enfin, le onzième jour, à douze heures quarante-huit, l'archipel tant attendu était en vue.
Mon cousin était excité comme une potée de souris.
– L'île d'argent ne doit pas être loin. Regardez bien ! Toi aussi, Geronimo, surtout que tu n'as pas bonne vue.
– Avec mes lunettes, j'ai bien meilleure vue que toi ! répliquai-je, vexé.
À ma vive satisfaction, je fus le premier à apercevoir l'île. Très loin, presque sur l'horizon,

… deux autres boulets de canon frôlèrent la montgolfière…

scintillait un petit point argenté qui se balançait sur les vagues.

Très ému, j'essuyai les verres de mes lunettes pour mieux voir. Puis je me penchai par-dessus bord au risque de *tomber* dans la mer : oui, c'était bien elle ! C'était l'île !

– Regardez ! criai-je, fou de joie.

Mais au même moment... *Zinnnn* – un boulet de canon siffla à mes oreilles.

Zinnnn, zinnnn ! – deux autres boulets de canon frôlèrent la montgolfière.

Je l'avais bien dit que ça finirait mal.

D'ailleurs, *je DÉTESTE les voyages...*

LE GRIFFE
D'ARGENT

Téa attrapa les jumelles.

– Qui nous tire dessus ? Qui ? Quiiii ? hurlait ma sœur.

Puis elle glapit :

– Ce n'est pas une île. C'est un galion, un galion pirate. Et ce sont des chats !

– **DES CHATS** ? hurlâmes-nous, terrorisés.

C'est alors qu'un nouveau boulet creva l'enveloppe du **ballon** de la montgolfière. Nous tombâmes.

Puis, agrippés à la nacelle, nous recrachâmes des litres d'eau salée.

– Téa, Benjamin, Traquenard… vous êtes vivants ? murmurai-je.

Mais, déjà, une chaloupe approchait. Debout, à la proue, un chat blanc et noir miaulait :

– Plus vite, plus vite, bande de fripouilles !

Dès que nous fûmes à sa portée, il nous harponna et nous hissa à bord.

– Fichtre, des souris ! s'écria-t-il, ravi.

Ramant avec ardeur, les pirates se dirigèrent vers l'île : en réalité, c'était un énorme galion aux **voiles noires**.

Du grand mât à la barre à roue, du pont de commandement au gaillard d'arrière, tout était en argent et brillait au soleil. Le navire se nommait le **Griffe d'argent**.

VIVE
LE PIRATE NOIR !

L'affreux félin qui venait de nous capturer nous poussait au long d'une coursive, en nous piquant le derrière de la pointe de son sabre.

– En avant, rongeurs ! Par ici ! Venez rendre hommage à *Son Excellence Souricier III*, prince de Merpure, grand-duc des Embruns, vicomte de la Palourdedor, marquis de Tribord et baron de Vaguebrisée... le seul, le sublime, le perfide *Pirate Noir* ! miaula-t-il solennellement.

Mon cousin le fixa crânement dans les yeux.

– Et qui c'est, ce *Souricier* ? Ton chef ? Hi, hi, hi ! ricana-t-il, pas impressionné pour deux sous. Je n'ai jamais aimé les

aristos, ce sont des crâneurs. Pour ton informa-
tion, eh bien sache que, moi, je m'appelle
TRAQUENARD :

comme TU ME CHERCHES, GROS MINET ?

comme RIRA BIEN QUI RIRA LE DERNIER !

comme ATTENTION, JE VAIS ME FÂCHER !

comme QUI S'Y EST FROTTÉ S'Y EST PIQUÉ !

comme UNE BELLE TÊTE AU CARRÉ !

comme ÉCARTE-TOI, JE VAIS PASSER !

comme N'ESSAIE PAS DE T'APPROCHER !

comme ALLONS-Y, ÇA VA SAIGNER !

comme RECULE OU JE VAIS T'ÉCRASER !

comme DOMMAGE POUR TOI, FLIBUSTIER !

Le chat ricana :
– Le Pirate Noir te fera passer
l'envie de plaisanter...
Cependant, nous avions pénétré dans
un immense salon où une centaine de

chats banquetaient joyeusement : à la lueur des bougies, je distinguai le félin au bout de la table.

C'était un chat noir, au pelage aussi sombre qu'une aile de corbeau. Ses longues mou**S**taches frisées étaient saupoudrées d'une fine poussière d'or. Il portait une cape de soie **noire** et une redingote de velours, dont les boutons étaient de précieux RUBIS ROUGE SANG.

Cette redingote était ajustée à la taille par une épaisse ceinture de cuir, avec une boucle en forme de tête de **CHAT**. Enfoncé sur son crâne, un chapeau noir à larges bords était rehaussé d'une plume dorée qui ondulait

lugubrement. Ses bottes étincelantes étaient
ornées de boucles qui tintaient à chacun
de ses pas. 2 pistolets à crosse de
nacre et un sabre d'abordage à
garde d'argent étaient glissés dans
sa ceinture.
Je notai qu'il avait un crochet
d'argent au bout de sa patte droite.
Il saisit une pomme, la lança en
l'air et, avec son sabre, la coupa en
quatre, puis il attrapa un quartier au
vol avec son crochet d'argent.
– Vive Souricier, vive le Pirate Noir !
crièrent tous les pirates comme un seul chat.
Celui-ci poussa un miaulement satisfait et se rassit
dans son fauteuil de velours écarlate.
C'est alors qu'il remarqua notre présence…
Tous les félins se retournèrent et, à notre vue,
bondirent sur leurs pattes.
– Des souris ! Des souris ! ronronnaient-ils en se
léchant les moustaches.

Souricier, le Pirate Noir, ne me quittait pas des yeux. Je remarquai en frissonnant qu'il avait un œil jaune et l'autre vert.

– Silence ! cria-t-il d'une voix rauque.

Tout le monde se tut. Il s'approcha et me souleva le menton du bout de sa griffe.

– Bien, bien, bien, *miaula-t-il* d'un air menaçant. Tiens, tiens, tiens, *souffla-t-il* ensuite en gonflant sa queue. Miam, miam, miam, *siffla-t-il*, si près que je sentis son haleine puante.

Soudain, un gros chat tigré, tout de velours jaune citron vêtu, entra en SaUtiLLaNt et se dirigea vers un énorme pot rempli d'escargots au vinaigre.

Y'EN A MARRE,
DES ESCARGOTS !

C'était Pistachon, le frère du **Pirate Noir**.

– Enfin, des souris ! Y'en a marre, des escargots ! miaula-t-il en crachant par terre.

-Tais-toi, nigaud ! lui lança Souricier.

Puis il se tourna vers nous.

– Quatre belles petites souris **bien dodues** ! murmura-t-il en étirant ses griffes acérées et en regardant, pensif, un chat cuistot qui faisait rôtir à la broche des dizaines d'escargots.

– D'où venez-vous, je vous prie ? demanda Souricier, et sa queue s'arrondit en point d'interrogation.

C'est alors que, pour faire le malin, Pistachon piqua **TRAQUENARD** avec une broche.

– Je te ferais voir, moi, si nous étions sur notre île ! hurla mon cousin.

– Plaît-il ? S'agirait-il de la légendaire île des Souris ? Notre galion erre depuis toujours à sa recherche. N'est-il point vrai ? miaula Souricier.

– *N'est-il point vraiiiiiiiiiiii !* dirent les chats en écho.

– N'est-il point vrai ! hurla Pistachon en retard.

-Tais-toi, nigaud ! s'exclama Souricier.

Puis il se tourna de nouveau vers nous.

– Or donc, enseignez-nous où se trouve votre île, et nous vous y ramènerons sur-le-champ, parole d'honneur de félin !

– D'honneur ! De félin ! bredouilla Pistachon.

-Tais-toi, nigaud ! cria Souricier en lui écrasant la queue du talon de sa botte.

Pistachon

– Miaooooooooooooouuuuuuuuu,

hurla Pistachon.

– Or donc, je n'ai pas parfaitement compris où était située ladite île... insista le Pirate Noir.

– Nous n'avons pas envie de rentrer chez nous, répliquai-je en feignant l'indifférence.

– Et pourquoi cela ? demanda Souricier, méfiant.

– Nous sommes les 4 seuls survivants d'une terrible épidémie. Hélas, la Sourisite aiguë, une maladie extrêmement contagieuse, a exterminé tous nos compatriotes, murmurai-je. Aussi, nous avons quitté notre île dans l'espoir d'en trouver une autre habitée par des rongeurs, soupirai-je tristement.

Je le regardai à la dérobée, en faisant mine d'écraser une larme.

Il semblait réfléchir. Il tentait de décider si je lui avais dit ou non la vérité.

– L'île est donc déserte à présent ? Il serait

… un félin répugnant se mit à jouer…

inutile de faire voile dans cette direction ?
marmonnait-il, ses griffes taMbouriNaNt sur
la table.

Cependant, un félin répugnant avec une épée à la
ceinture se mit à *jouer du violon*.

– Que puis-je jouer pour Votre Excellence ?
demanda-t-il, aussi visqueux que de la raclette
fondue. *La Ballade de la vague traîtresse ?*
Ou bien *la Danse du
pendu enrhumé ?*
Mais Souricier
ne nous quittait
pas des yeux.

– Ça suffit, Azazel !
Tu as assez joué,
aujourd'hui.
Puis, d'un air
sournois, il me fit
signe de m'approcher.

– Or donc, dis-tu vrai ou contes-tu un mensonge
tout **petit petit** comme toi ? Il ne te siérait point

que je te flatte le bas de la queue à coups de fouet, n'est-il point vrai ? murmura-t-il en fermant les yeux jusqu'à ce qu'il n'en reste plus que deux fentes.

Je me taisais.

Souricier me dévisagea durant quelques instants qui me parurent interminables.

Puis il éclata de rire, découvrant ses incisives pointues.

– Or donc, que l'on convoque maître Lèchefriton, le cuisinier.

COMME CHEZ GRAND-MAMAN !

La porte à deux BATTANTS de la cuisine s'ouvrit. Un gros matou parut : il portait une toque de cuisinier, sur laquelle étaient brodés deux os en croix. Il avait des moustaches en croc et le front emperlé de sueur.

– Son Éminence Féline, Sa Majesté Miauleuse, Sa Chatitude n'aurait-elle pas trouvé à son goût les escargots farcis ? J'aimerais tant régaler Son Excellence Moustachue de mets plus raffinés, hélas... miaula-t-il en frémissant, mais Souricier lui intima silence.

– Dis-moi plutôt ce que tu penses de ces rongeurs.

– Des souris ! s'écria Lèchefriton, rayonnant.

Le rêve de toute une vie ! Cuisiner une véritable, une authentique souris ! Quel honneur, 𝕯otre 𝕽oyale 𝕸atouserie ! Quel privilège !

– Assez papoté ! Dis-moi de quelle espèce sont ces souris, et comment tu comptes les accommoder.

– Eh bien, répondit Lèchefriton, elles sont de l'espèce sourine, en bonne santé. Un peu

maigrichonnes, peut-être. Il faudrait les **engraisser** pendant six ou sept jours avant de les consommer, poursuivit le chef en tournant autour de nous et en nous examinant à la loupe.

– Combien de portions peut-on en tirer ? demanda alors Souricier.

Avant de répondre, Lèchefriton réfléchit longuement.

– Une vingtaine ! Ce sont des morceaux de choix, pour palais raffinés, conclut-il en nous soupesant d'un œil expert. Se nourrir est une nécessité, savoir manger est un art ! miaula-t-il ensuite, d'un air inspiré, en feuilletant un gros livre à la reliure de cuir. On pourrait faire un ragoût, accompagné d'un émincé de champignons au persil, ou bien un civet, avec des pommes de terre sautées, sans oublier la souris à la broche, un classique ! Mais rien ne vaut la côte de souris à l'os. Et je ne parle pas de la souris préparée *comme chez grand-maman*, servie avec une sauce *pili-pili* et parsemée de gingembre râpé...

Lèchefriton

– Ah, la recette de grand-maman me plairait bien, mais il ne faut pas trop de gingembre. Ça masque la saveur de la viande de souris ! décida Souricier.

– Assurément, a s s u r é m e n t, Votre Félinité, vous êtes un fin connaisseur, le flatta Lèchefriton.

– Allez, retourne à tes fourneaux ! Hors de ma vue !

conclut Souricier, en lui appliquant un coup de patte dans le derrière.

– À VOS ORDRES, Sublime et Souveraine Griffe ! Serviteur ! murmura le chef, faisant assaut de courbettes et de salamalecs.

Pistachon essuya la bave qui lui COULAIT le long des moustaches.

– Allons donc, elles sont tellement fraîches qu'on pourrait les manger crues ! miaula-t-il.

Et il insista, le regard implorant :

– Avec un filet d'huile, le jus d'un citron et une pincée de poivre noir !

– *Tais-toi, nigaud !* souffla Souricier.

Puis il s'adressa au chat qui nous avait capturés et lui lança la bague qu'il portait au petit doigt.

– Prends ça. C'est pour te récompenser de ta valeureuse action !

– Merci, Excellence. Votre générosité me laisse sans voix, balbutia le félin en s'inclinant jusqu'à toucher le sol de ses moustaches.

Puis il s'éclipsa.

Souricier sauta sur la table et murmura d'un ton plein de menace :

– Enfermez ces rongeurs au cachot. Et gare à celui d'entre vous qui les laisserait échapper ! miaula-t-il, furieux, en faisant des moulinets en l'air avec son sabre.

Les pirates se jetèrent sous la table, pour éviter d'avoir la queue ou les moustaches tranchées.

Quatre gros félins musclés nous prirent sous leur garde et, nous piquant le derrière de la pointe de leur sabre (décidément, c'était une habitude), nous poussèrent dans l'escalier qui conduisait à l'Oreille-du-Chat, une tour d'argent, très haute, dont il paraissait impossible de s'évader.

– Regarde-moi celle-là, comme elle est grasse !

miaula un chat tigré en palpant la queue de Traquenard.

– Pas touche ! Bas les pattes ! hurla mon cousin.

– Hi! Je ne vais pas te manger… pas encore ! Hi, hi, hi ! ricana l'autre, en nous faisant entrer dans une cellule.

La clef tourna dans la serrure avec un grincement sinistre.

Nous nous regardâmes, désemparés.

Quelle fin horrible !

Je le savais, avant même de partir.

Je **DÉTESTE** les voyages…

Quelle fin horrible !

Les chats étaient à la manœuvre...

L'Oreille-du-Chat

Je me hissai à la fenêtre de l'Oreille-du-Chat et glissai le museau entre les barreaux. Les chats étaient à la manœuvre : ils amenaient les voiles et se préparaient à changer de cap. Qui sait où nous allions ?

– Zut, zut et rezut ! murmurai-je en serrant les barreaux.

Mes compagnons, eux aussi, étaient tristes.

– Scouiit ! Je ne veux pas finir dans une casserole, préparé *comme chez grand-maman*, servi avec une sauce *pili-pili* et parsemé de gingembre râpé, sanglota mon cousin.

Il leva le nez, puis se moucha dans un mouchoir **jaune** à **pois rouges**.

C'est alors que Benjamin me tira par la manche.
– Tonton, j'aurais… balbutia la petite souris.
– Benjamin, s'il te plaît, on verra ça plus tard.

– Excuse-moi, tonton, mais… insista-t-il.

– Allez, Benjamin, sois gentil. Tu vois bien qu'on parle de choses sérieuses ! ajouta Téa.

– Oui, mais, moi, j'ai un plan !

ChiCota Benjamin, fâché.

– Un plaaaaaan ? avons-nous répété tous en chœur.

– Tu aurais pu le dire plus tôt ! s'exclama Traquenard.

– Justement, je vous le disais : j'ai lu un livre, les MÉMOIRES AVENTUREUX D'UN RONGEUR SANS PEUR et, dans ce livre, le héros fait semblant de s'évader par la fenêtre de sa prison. Le geôlier découvre la cellule vide, court donner l'alarme et oublie de refermer la porte. Alors le héros remonte dans la cellule et sort par la porte… Vous avez compris ?

– Mouais… Mais comment scier les barreaux ? demanda Traquenard, perplexe.

D'un air mystérieux, Benjamin défit sa ceinture. Il glissa la patte dans une poche intérieure et en sortit un couteau que je reconnus aussitôt. Il l'ouvrit et montra une lime, petite mais robuste.

– Tu te souviens, tonton Gerry ? Tu me l'avais offert pour mon anniversaire. Je l'ai toujours sur moi !

– Génial ! s'exclama Traquenard, qui avait recouvré d'un coup son enjouement.

– Nous allons limer les barreaux à tour de rôle, pendant que l'un de nous montera la garde. Mais... le bruit ?

– J'ai une idée ! s'écria Téa. Il suffit de **chanter** !

SOU-SOU-SOURIS !
SOU-SOU-SOURIS !

Pendant que Benjamin montait la garde et que Traquenard limait, Téa et moi entonnâmes l'hymne national.

Toutes les souris le connaissent, il commence par ces mots :

Comme une goutte au milieu de la mer
Brille, dorée, l'île de Sourisia,
Nul endroit n'est plus beau dans l'univers,
C'est le joyeux paradis des souris...

Nous enchaînâmes sur
un chant guerrier :

Nous, braves et fières souris,
Rongeurs de l'île de Sourisia

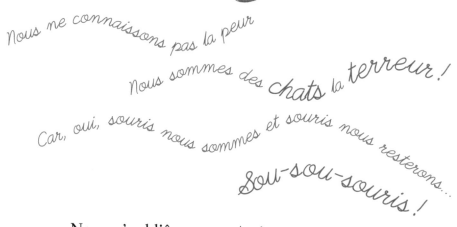

Nous ne connaissons pas la peur

Nous sommes des chats la terreur !

Car, oui, souris nous sommes et souris nous resterons...

Sou-sou-souris !

Nous n'oubliâmes pas *Amie souris, ensemble nous vaincrons*, le chant martial qui date de la Grande Guerre contre les Chats.

Ensuite nous passâmes aux chants montagnards, comme *Le soleil poudroie sur le pic du Putois*.

Puis nous en vînmes aux mélodies modernes : *Grignotant sous la pluie, Arrête ou je te mords la queue, yé yé*, puis *Rongeur mélancolique* et *Tu n'as même pas goûté le fromage que je t'ai acheté*.

Tout à coup, Benjamin fit des signes désespérés. INFERNALET, le chat geôlier, arrivait.

– Or donc, qu'est-ce que vous manigancez ici ? miaula-t-il, soupçonneux.

– Nous chantons pour nous remonter le moral, expliquai-je en feignant la tristesse. Nous avons fini par nous résigner : vous, les **CHATS**, vous êtes trop rusés pour nous !

– À la bonne heure, je me réjouis de votre humilité. Vous avez enfin compris, n'est-il point vrai, que les félins sont plus intelligents que les souris. D'ailleurs, nous sommes trois fois plus **gros** que vous, et il est bien normal que notre cerveau aussi soit plus gros que le vôtre. J'ai tort ? demanda-t-il, perplexe.

Et il conclut, en rebroussant chemin :

– Continuez donc à chanter, mais pas de chansons tristes, ça me fend le cœur. Sniff ! Et il n'est pas bon qu'un félin aussi hardi et valeureux que moi s'attendrisse, **SNIFF** !

– D'ac', chef, rien que des chansons guillerettes pour Sa Seigneurie ! glapit **TRAQUE-NARD** en faisant la nique dans son dos.

Tout était presque prêt pour l'évasion...

Prrrrrrrrrrrr

INFERNALET

CŒUR
DE SOURIS

La nuit qui précéda l'évasion, je n'arrivai pas à trouver le sommeil.

– J'aimerais tant être à la maison. *Je DÉTESTE les voyages...* soupirai-je, en me tournant et me retournant dans mon lit.

Un rayon de lune filtrait à travers les barreaux. Je remarquai alors, gravé sur le mur *d'argent* de la cellule, un dessin à demi effacé par le temps.

– Scouittiriscouiiit! m'exclamai-je, abasourdi, puis j'allai réveiller Téa. C'est le plan du galion, murmurai-je, en recopiant le dessin dans mon journal.

Ça va nous être utile

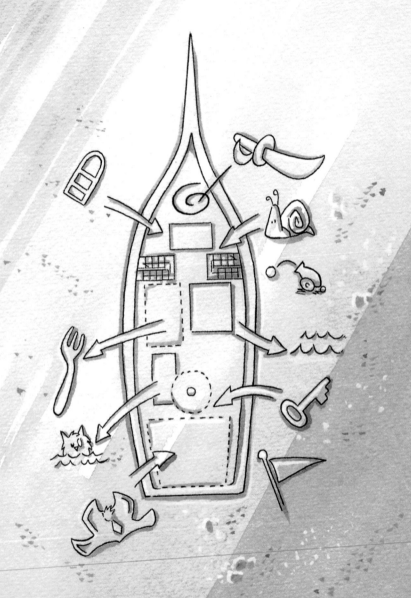

... gravé sur le mur d'argent de la cellule...

pour nous orienter dans cet immense navire !
Tiens, les cuisines sont là, et ici la poudrière, la
cale, le poste de commandement...

– Qui a bien pu graver ce plan ? Un prisonnier
peut-être, murmura ma sœur en caressant le
dessin avec respect.

– Il y a une date : *1663*. Et une inscription en
sourisique, la langue que parlaient nos ancêtres
Sourisians :

> LE CŒUR D'UNE BRAVE
> SOURIS NE CONNAÎT QUE LA
> LIBERTÉ ! HAUT LES CŒURS,
> HAUT LES RONGEURS !

DU FLAN
AUX ESCARGOTS

Traquenard avait longuement bavardé avec
INFERNALET, le chat qui nous surveillait,
et il avait appris pourquoi les
pirates ne consommaient que des
escargots !
Ils auraient bien aimé manger
du poisson, mais le
Pirate Noir y était
allergique. La simple vue d'un poisson lui provo-
quait de terribles démangeaisons.

– Si c'est pas dommage, quand je pense à
tout ce bon poisson ! On ne peut rien pêcher,
ni thons, ni sardines, ni rougets, ni crustacés,
ni fruits de mer, parce que *Lui* – en pro-
nonçant ce mot, il baissa la voix –, il dit qu'il a

envie de se gratter rien qu'à la vue d'un poisson de loin.

Puis il imita Souricier :

– Moi, je n'en mange pas. Et si, moi, je n'en mange pas, PERSONNE n'en mange !

Exaspéré, il bougonnait :

– Du coup, nous n'avons que ça au menu : des escargots, toujours des escargots !

Enfin, le matin où il était prévu de nous mettre à la casserole se leva. Infernalet arriva en faisant tinter son trousseau de clefs.

– Debout, les rongeurs ! Lèchefriton ne va pas tarder à venir vous chercher ! En attendant, que diriez-vous de quelques DOUCEURS ? Ça vous mettrait un peu de gras sur ces petits os ! Son Excellence apprécierait que vous collaboriez à votre **engraissement**. De toute façon, pour vous, c'est du pareil au même !

Traquenard murmura :

– Tenez-vous prêts !

Puis il s'approcha des barreaux d'un air innocent.

– Salut, Infernalet ! J'engloutirais volontiers une part de tarte aux escargots. Avec un peu de flan aux escargots ! Vous en avez ?

– Bien sûr qu'on en a, du flan ! Et ça te dirait un peu de bave d'escargot… de la bave Chantilly ? Et une bouillie d'escargots tiède ?

– Pourquoi pas, cher ami ?

– *Mille milliards de petits rougets qui ont le mal de mer*, je cours aux cuisines ! miaula INFERNALET.

Dès qu'il eut tourné les talons, Téa prit les draps et

les couvertures et les noua solidement. Je courus à la fenêtre, écartai les barreaux déjà sciés, puis, les pattes tremblantes, agrippai la corde et me laissai glisser au-dehors par la fenêtre, bientôt suivi par mes compagnons. Nous nous serrâmes les uns contre les autres sur la corniche *d'argent*. La tentation de jeter un coup d'œil en bas était trop forte : à soixante mètres d'altitude, j'avais le vertige ; les canons avaient l'air de jouets, et les chats qui vaquaient à leurs occupations sans se douter de rien ressemblaient à des fourmis…

Nous nous serrâmes les uns contre les autres sur la corniche d'argent...

Notre attente se prolongea plusieurs minutes interminables. Puis nous entendîmes le geôlier qui revenait. Au même moment, une PUANTEUR ATROCE se répandait : c'était la bouillie d'escargots tiède. Enfin, un miaulement de rage retentit :

– *Mille milliards de mini poulpes qui dansent le menuet avec de gros rougets !* hurla Infernalet. Je me suis fait avoir par ces maudites souris !

– **Chat échaudé !** s'écria l'autre geôlier, Brisetout, en se ruant sur la fenêtre.

– J'en connais qui vont y laisser leur queue ! rugit Écorcherat, le capitaine des gardes.

Miaouuumiaouuu !

– *Mille milliards de fourrures de chats tigrés*, quand Souricier saura cela… les moustaches vont valser ! murmura un officier félin très agité.

Un miaulement assourdissant retentit alors, et nos poils se hérissèrent.

C'était la sirène d'alarme des chats !

Miaouu u miaOuuu

Les pirates se ruèrent dehors, et la coursive redevint silencieuse. Rapides comme des rats, nous grimpâmes au long de la corde et remontâmes dans la cellule.

La porte était grande ouverte : pas l'ombre d'un chat. Nous nous glissâmes à l'intérieur des armures alignées dans la coursive. C'est alors que *résonna* un tintement métallique. C'étaient les boucles des bottes de Souricier ! Le tintement cessa brusquement, juste à notre hauteur.

– **Humm, snif, snif !** murmura le Pirate Noir en reniflant. Snif, snif ! miaula-t-il en continuant de renifler.

Le tintement se rapprocha. Puis on entendit un cri félin :

– Excellence ! On n'a pas trouvé d'empreintes !

– **Grunffff !** Vous allez me faire croire qu'il leur a poussé des ailes ? Cherchez mieux, lourdauds ! hurla Souricier en se dirigeant vers la sortie.

DE L'ARGENT
AU SOLEIL

Dès que le **Pirate Noir** se fut éloigné, je me précipitai à la fenêtre de l'Oreille-du-Chat et considérai le vaste pont du galion.

Les chats couraient en tous sens à la recherche des fugitifs, c'est-à-dire nous !

– Il nous faut trouver un autre plan. Quelqu'un a une idée ? demandai-je à mes compagnons.

Nous discutâmes à voix basse pendant plus d'une heure :

1. *Nous ne pouvions rentrer à Sourisia que par la mer*

2. *Il nous fallait utiliser le galion*

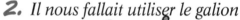

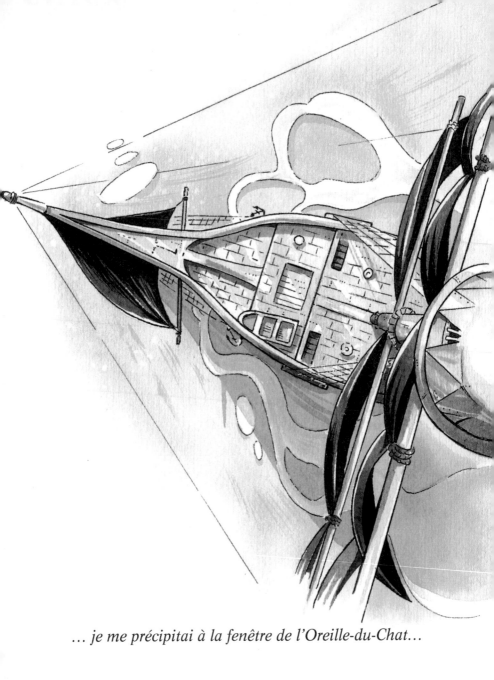

… je me précipitai à la fenêtre de l'Oreille-du-Chat…

3. *Nous devions forcer les félins à quitter le navire*

Abîmé dans de sombres pensées, j'observai le galion d'en haut. Il était près de midi et, sous le soleil, le pont scintillait. Les plaques *d'argent* lançaient des éclairs aveuglants.

– Tout est en *argent*, pensai-je, tout est en *argent*...

À ce moment, Traquenard posa une patte sur le grand mât.

– Aïe, c'est brûlant !
On dirait un
gril à bifteck !
Je le fixai, les
yeux écarquillés,
puis murmurai :
– Je sais
comment nous
débarrasser
des chats !

Un gril
à bifteck

– Vous sentez comme la surface du bateau est chaude ? C'est que le galion est tout en métal : il a été construit en *argent*, ou plutôt en alliage d'*argent*. Demain, à midi, quand le soleil sera au zénith, nous y mettrons le FEU. Il deviendra aussi brûlant qu'un gril à bifteck ! Les chats se jetteront à l'eau, et nous prendrons le contrôle du bateau ! expliquai-je.

Traquenard marmonna :

– D'accord. L'idée de faire rôtir des chats à la manière d'une entrecôte me plaît beaucoup !

Téa réfléchit.

– Le **Pirate Noir** donnera l'ordre de mettre les canots de sauvetage à la mer…

Je ricanai :

– Les canots de sauvetage sont aussi en *argent*, sœurette !

Benjamin me tira par la veste.

– Mais, tonton, que vont devenir les chats ? On ne peut tout de même pas les laisser

SE NOYER !

L'ÎLE
DES SOUPIRS

Traquenard grommela, lugubre :

– Alors là, ils peuvent bien servir de pitance aux requins, ce n'est pas ce qui m'empêchera de dormir !

Téa suggéra :

– Il n'y a pas une île près d'ici ? On devrait aller consulter les cartes de Moustuchat, le capitaine, pendant qu'ils sont tous occupés à nous chercher sur le pont.

Je feuilletai **fébrilement** mon journal jusqu'à la page où j'avais recopié le plan du navire.

– Le poste de commandement est à la proue. Allez, vite, on y va !

Nous nous *élançâmes* le long des coursives *d'argent*, ouvrant une porte après l'autre. Enfin, nous pénétrâmes dans le poste de commandement.

Au centre se dressait une longue table *d'argent*, sur laquelle étaient disposés instruments de navigation, livres ouverts et cartes nautiques. Çà et là, des bouts de papier griffonnés : je reconnus la signature à *fioritures* du Pirate Noir.

Je consultai une carte marine.

– L'île la plus proche est l'île des Soupirs, à trente milles d'ici.

Téa se pencha par-dessus mon épaule pour mieux étudier la carte.

– Il n'y a *pas pire* que l'île des Soupirs, c'est au bout du monde !

– Comme ça, ils ne pourront jamais en repartir !

s'exclama Traquenard, tandis que Téa se livrait à un rapide calcul pour déterminer la position du bateau.

– Le *Griffe d'argent* ne suit pas la bonne route. Si les pirates se **jettent à la mer** demain midi, ils seront incapables d'atteindre l'île à la nage. Il faut trouver un moyen de virer de bord sans que personne ne s'en aperçoive.

Ma sœur avisa alors la grosse boussole au centre de la pièce.

– Vous savez comment ça marche, une boussole ? demanda-t-elle. L'aiguille magnétique indique toujours le nord. Mais il suffit d'approcher un **aimant** pour la faire bouger. Seulement, où trouver un **aimant** ?

LE FROMAGE
PORTE-BONHEUR

Benjamin s'écria :

– J'ai un aimant, tonton !

Et il me tendit le porte-bonheur dont il ne se séparait jamais. C'était un de ces petits fromages en plastique munis d'un aimant qu'on fixe sur la porte des réfrigérateurs.

Téa posa le porte-bonheur sur la boussole et le déplaça en étudiant les mouvements de l'aiguille magnétique.

– Voilà ! conclut-elle en se redressant, satisfaite. Dorénavant, la boussole indiquera la route de l'île des Soupirs !

Nous nous cachâmes

ensuite dans un énorme coffre *d'argent* qui contenait des rouleaux de cartes nautiques. J'entendis alors un bruit et entrouvris le couvercle : le capitaine Moustuchat entra dans la salle. Le félin s'approcha de la table, jeta un coup d'œil à la boussole et SAUTA au plafond.

– Miaooooouuuuuuuuuuu!

Nous avons dévié de notre route ! Vite, tous à la manœuvre !

Moustuchat

PATARAS,
FOC ET CACATOIS

Il empoigna son mégaphone *d'argent* et aboya ses ordres :

– Ohé, les félins, tous à la drisse, parez les amures ! Voiles à bâbord, voiles à tribord ! Hissez le foc, amenez le clinfoc ! Montez à la hune, déroulez la balancine, le pataras, la draille, l'étai ! Deux bandes de ris, gare aux rabans ! Ralinguez la bordure ! Hissez le perroquet, le cacatois, la perruche et l'ourse d'artimon !

Les officiers du navire protestèrent en chœur :

– Pourquoi changer de cap, Moustuchat ?

Le capitaine épongea la sueur qui coulait sur ses moustaches.

– Je ne comprends pas… On s'était complètement écarté de la bonne route ! Mais je viens d'y mettre bon ordre.

Je pouffai en abaissant le couvercle du coffre.

Ah, ça, ils étaient sur la bonne route, maintenant… la route de l'île des Soupirs !

Cinq, quatre, trois, deux, un...

Nous attendîmes plus ou moins patiemment que le temps passe. Le lendemain, à onze heures, nous étions prêts.

– Il me tarde de **RÔTIR** les pirates sur le gril ! ricanait Traquenard.

Lorsque nous fûmes en vue de l'île des Soupirs et que le galion fut assez proche de la côte, nous nous glissâmes dans le magasin à poudre. Chacun de nous prit un petit baril et courut à son poste.

Pour tromper les pirates et leur donner l'impression que le galion avait vraiment pris feu, nous allumâmes 12 incendies en même temps, à 12 endroits différents du bateau.

– **4, 3, 2, 1**... feu !

Dans un grand crépitement, meubles, rideaux et livres s'embrasèrent, dégageant une fumée noirâtre qui se répandit partout. Nous entendîmes les félins hurler :

au feu ! au feu !
au feu !
au feu ! au feu !
au feu !
au feu !

L'incendie s'étendait, attisé par un vent déchaîné...

L'incendie s'étendait, attisé par un *vent déchaîné*. Nous enveloppâmes nos pattes dans des morceaux de chiffon, car le galion était de plus en plus **BRÛ- LANT**. Les **FLAMMES** paraissaient jaillir de partout, et c'est ce qui désorientait les chats. Nous les entendions miauler :

qu'est-ce qui s'est passé ?

la poudrière a explosé ?

c'est un abordage ?

... mais non, c'est les cuisines qui sont en feu !

Très vite, le bateau devint *INCANDESCENT*. Les chats sautillaient sur le pont qui était aussi chaud qu'un gril à bifteck ou qu'un fer à repasser ! À un moment donné, persuadés que la situation était désespérée et que le galion était sur le point d'exploser, tous les félins se jetèrent par-dessus bord.

– ARRÊTEZ, BANDE DE FORBANS ! C'EST MOI QUI VOUS DIRAI QUAND ON SAUTERA À L'EAU ! miaulait le Pirate Noir, furibond.

Mais plus personne ne l'écoutait.

UNE GRIFFE ARDENTE

Lorsque tous les pirates eurent plongé dans la mer, Traquenard et moi nous précipitâmes vers les voiles, Téa s'installa à la barre et Benjamin courut fermer les portes des pièces *EN FEU*. Il obstrua la fente

entre le bas des portes et le sol à l'aide de chiffons imbibés d'eau. Les **FLAMMES**, qui n'étaient plus alimentées par l'air, commencèrent à mourir doucement.

Une fois le premier moment de stupeur passé, les pirates essayaient de remonter à bord, mais avant qu'ils aient pu s'accrocher à la chaîne de l'ancre, nous avions hissé les voiles.

– **EN ROUTE POUR SOURISIA !** cria Traquenard.

J'aperçus le Pirate Noir qui gesticulait dans l'eau. Le vent nous apporta ses vociférations :

– **MIAOUGRRR**, si je vous retrouve entre mes pattes, je vous hache menu comme chair à pâté !

Puis il se mit à faire des moulinets en l'air avec son sabre, comme pour nous couper en rondelles à distance.

Pistachon (que nous reconnûmes à sa veste jaune citron) nageait en haletant derrière son frère. Nous aperçûmes aussi Moustuchat, le capitaine félin, Infernalet, notre geôlier, Écorcherat, le capitaine des gardes, et bien d'autres encore...

Téa se pencha par-dessus le bastingage et scruta l'horizon : l'île des Soupirs était proche, très proche.

Les pirates, qui avaient renoncé à tout espoir de reconquérir le navire, nagèrent en direction de l'île, résignés.

NOUS ENTENDÎMES ALORS UNE CHANSON FÉLINE.

Je vis que ma sœur notait les paroles.

Si tu vois à l'horizon
Naviguer un fier galion
Mon gars t'as les pattes toutes moites
Car c'est un bateau piraaaate !

Et si tu entends miauler
Un terrifiant chat botté
Mon gars t'as les pattes toutes moites
Oui, c'est un félin piraaaate !

Nous sommes vraiment nombreux
Nous sommes drôlement affreux
Nous sommes les rois du naufrage
Et avec nos beaux tatouages
Nous allons à l'abordage
Nous adorons le pillage
Miaoouuuuu... préparez-vous à l'orage !

En réponse, nous entonnâmes notre chant martial :

MILLE QUEUES SE DRESSENT ARDEMMENT
MILLE VOIX CHICOTENT BRAVEMENT
MILLE MOUSTACHES VIBRENT AU VENT
MILLE PATTES BRANDISSENT FIÈREMENT
TON DRAPEAU JAUNE, TON DRAPEAU BLOND,
SOUS LE PELAGE DE MILLE SOURIS,
MILLE CŒURS BATTENT À L'UNISSON,
POUR TOI, SOURISIA, ÎLE CHÉRIE...

CHNOUPS, CRADOTE ET PUANTADE

Les journées s'écoulèrent.

Chaque matin, en montant sur le pont, je scrutais la mer et l'horizon à la recherche d'un **POINT** qui n'apparaissait jamais. Il me tardait de rentrer à la maison : *je* **DÉTESTE** *les voyages...*

Sourisia, mon île chérie, c'est à toi qu'allait ma première pensée à mon réveil, et ma dernière avant de m'endormir !

Nous avions exploré le galion de fond en comble : il y avait à bord des provisions pour des années de navigation.

On m'avait attribué la cabine du Pirate Noir.

Dans une petite cage dorée, je découvris

Tarantelle, sa tarentule de compagnie. Il y avait même la *petite laisse* qu'il lui attachait au cou pour la promener !

Dans un bol *d'argent*, de la soupe de fourmis, des mouches frites et de la purée de moucherons, son mets favori.

Le Pirate Noir avait une passion secrète : la broderie au point de croix !

Sur son grand lit à baldaquin, il avait disposé avec soin des dizaines de coussins amoureusement brodés.

Je me glissai sous les draps de lin et le doux couvre-lit de satin damassé en poussant un soupir de satisfaction. Sous le lit, un pot de chambre portait le blason des princes de Merpure.

Et la descente de lit, comme elle était douce ! Elle était toute de fourrure grise. Était-ce du poil de souris ? Hou !

Brrrrrrrrrrr !

Benjamin, qui avait insisté pour dormir dans ma cabine, entra les bras chargés de couvertures.

– Je fais le ménage, je veux que la pièce brille comme l'écuelle d'un chat affamé ! **Chi**C**ota-t-il, radieux.

Téa, elle, s'était confortablement installée dans la cabine de Pistachon, aux murs tendus de satin jaune canari.

Nous découvrîmes que le Pirate Jaune collectionnait les jouets anciens : marionnettes, toupies, petits bateaux et souris miniatures à ressort.

Pistachon possédait également un précieux jouet mécanique du XVIIIe siècle : un chat qui *tirait* une souris par la queue ! Quant à Traquenard, il avait

choisi la chambre la plus proche des cuisines, celle du chef Lèchefriton. Dans la cabine, aux parois graisseuses et zébrées de traces de doigt, nous trouvâmes d'innombrables livres de cuisine.

– ÉLOGE DE L'ESCARGOT, OU LES MILLE ET UNE SUBLIMES RECETTES FÉLINES, lisait Traquenard, avachi dans le fauteuil à bascule de Lèchefriton.

Salmigondis : petits-gris farcis
aux olives
Cradote : friture de limaçons
Parmacelle : mollusques en sauce à la menthe
Coquillonnade : pâté d'escargots aux herbes
aromatiques
Puantade : consommé de limaces à l'ail
Grille-babine : filets de loche
au piment rouge
Chnoups : civet de tendrons
de colimaçon
Escargotière : langues
d'escargot à l'aigre-douce

MERCI, SOURICIER !

J'étais à la barre lorsque Benjamin *ARRIVA EN COURAN[T]*
et en agitant son balai et son chiffon à poussière.

– **ONCLE** Geronimo, viens voir ce que j'ai trouvé !
Il me tira par la veste, les pattes toutes pleines de savon.

– Vite, vite, *DESCENDS* **TONTON** ! *DESCENDS*
dans la cabine ! couinait-il en sautillant sur le pont.

– La cabine ? Quelle cabine ? demandai-je, intrigué.

Je ne comprenais rien de rien.

– **TONTON**, je passais la serpillière
dans ta cabine, enfin, dans la cabine
du Pirate Noir, je veux dire. C'est
comme ça que j'ai découvert une
cachette sous le lit !

Une surprise m'attendait dans la cabine de Souricier.

Une trappe était aménagée dans le plancher, fermée par un énorme cadenas *d'argent*.

– **Vite, ouvrons-la !** chicota Traquenard, aussi excité que Benjamin, et même plus si c'était possible.

– **Du calme, du calme !**

Ne vous montez pas
la tête, vous pourriez être
déçus. Si ça se trouve,
il n'y a là-dedans que
les caleçons de rechange
du capitaine !

Au bout d'une demi-heure
d'efforts, nous fîmes enfin sauter la serrure. La trappe s'ouvrit, révélant des pièces d'or et d'argent, des pierres précieuses et des bijoux.

– UN TRÉSOR ! s'exclama Traquenard, plongeant le museau dans un tas de pièces d'or.

– Et quel trésor... poursuivit-il, en faisant retomber les bijoux en pluie sur sa tête.

Puis il s'enfonça dans les pièces, comme s'il prenait un bain.

Il posa une couronne sur sa tête et enfila à son poignet toute une série de bracelets.

– Ça me va comment ? N'ai-je pas l'air d'être le **roi des pirates souris** ? glapit-il en ricanant.

– Tonton, regarde un peu ces rubis ! Ils sont gros comme des œufs ! chicota Benjamin en renversant le contenu d'un petit sac de cuir.

– Ça doit être la réserve de boutons de Souricier ! gloussa Traquenard en les soupesant.

Puis il les lança en l'air, comme un jongleur.

– Scouitt !... Scouitt !... Scouitt !...

criait-il chaque fois qu'il en rattrapait un.

Vous saviez que j'avais travaillé dans un cirque ?

Téa ouvrit un riche coffret de nacre.

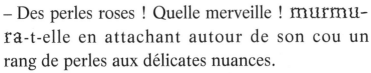
– Des perles roses ! Quelle merveille ! murmura-t-elle en attachant autour de son cou un rang de perles aux délicates nuances.

Le coffret contenait encore un bracelet, une bague, une paire de boucles d'oreilles et un minuscule mais précieux diadème.

– Ces bijoux me disent quelque chose !

Je me frappai soudain le front.

– J'y suis ! La reine *Queue-de-rose* les portait quand elle a posé pour son célèbre portrait !

J'examinai les pièces avec attention.

Quelle merveille...

Reine
Queue-de-rose

– Ça, c'est un doublon de la principauté de Félinie. On y voit gravée la devise des pirates :
Ce qui est à toi est à moi...
mais ce qui est à moi est à moi !
Soudain, je n'en crus pas mes yeux.

Je retirai mes lunettes et nettoyai les verres, pour mieux voir. Était-ce possible ?

– C'est... c'est... balbutiai-je, incrédule. C'est le légendaire écu d'argent, la pre-mière pièce frappée par la Monnaie de Sourisia ! Il date de 1458. Et il y a même la devise de notre île :

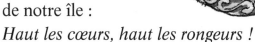

Haut les cœurs, haut les rongeurs !

VENT
EN POUPE !

– Vent en poupe ! Cap à 95° de longitude est !
HAUT LES CŒURS, HAUT LES RONGEURS !
répétions-nous avec un petit clin d'œil en nous
relayant à la barre.

Oui, en *nous dirigeant vers l'est*, nous ne tarde-
rions pas à gagner Sourisia la douce, l'île où nous
avions laissé notre cœur.

Pour atteindre la roue en acajou du
gouvernail, polie par les pattes d'innombrables pirates, je devais me
jucher sur un tabouret.

Mais quel bateau ! Un véritable
galion de combat. Dieu sait à combien d'abordages il avait par-
ticipé...

Je caressai la roue.

Les marins disent que les bateaux sont vivants, qu'ils ont une âme.

L'**âme** de celui-ci devait être un peu noire. Peu à peu, un œil fixé sur la boussole et l'autre sur les voiles, je m'abîmai dans mes pensées. Pourvu que quelqu'un ait pensé à épousseter ma précieuse collection de croûtes de gruyère du XVIIe siècle…

Je tapotai la poche où je gardais mon journal. Il ne manquait plus à mon livre que la conclusion. J'espérais qu'elle serait heureuse.

– Teeeeeeeeeeeeeeeeerre !

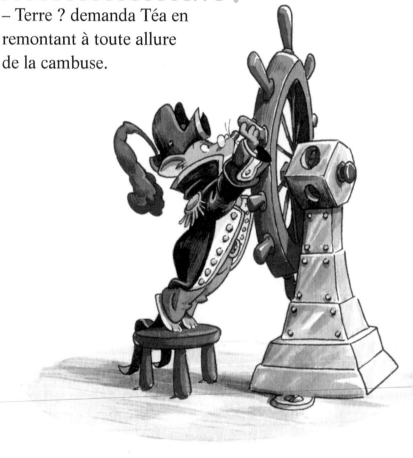

– Terre ? demanda Téa en remontant à toute allure de la cambuse.

– Oui, terre *!!!* répondit Traquenard, fou de joie, en lui envoyant un baiser.

– Terre terre teeeeerre... chantonna Benjamin en improvisant une danse des Nouilles sur la proue, au risque de tomber par-dessus bord.

– *Mouille, touille, ouille ouille ouille, les nouilles, il faut que ça bouille !* chantaient à tue-tête Traquenard et Téa en dansant la farandole sur le gaillard d'arrière.

Nous avions une allure complètement loufoque !

Ma sœur, la seule à savoir coudre, avait **ajusté** les vêtements que les pirates avaient laissés à bord.

Traquenard portait une chemise de dentelle, blanche à l'origine, mais à présent d'une couleur indéfinissable, disons couleur souris !

Benjamin était affublé d'un maillot rayé **rouge et blanc**. Sur sa tête, il avait noué un foulard qui lui donnait un air canaille.

Téa, très chic, arborait un gilet de soie jaune canari, avec des passepoils dorés.

Dans le coffre de Souricier, j'avais découvert une houppelande de velours noir, soigneusement pliée et saupoudrée de naphtaline. J'avais retroussé les manches, mais l'ourlet traînait par terre.

Je brossai mon pelage incrusté de sel et peignai mes moustaches pleines de nœuds.

– *Ne t'inquiète pas, petit cousin !* ChiCota Traquenard, et il plastronna en lissant les dentelles crasseuses de sa chemise. L'élégance ? Nous sommes bien au-dessus de tout cela, nous ! Nous ne revenons pas d'une partie de pêche à la truite, morbleu ! Nous avons combattu les pirates ! dit mon cousin, en faisant le geste de trancher la gorge à quelqu'un.

Et il conclut, comme s'il répétait un discours :

– D'énormes chats pirates, gros comme... cent souris entassées les unes sur les autres !

– Tu n'exagères pas un peu, Traquenard ? Moi aussi, j'y étais, ne l'oublie pas, répliqua Téa.

– Insinuerais-tu que je suis un menteur ? Ou que j'ai besoin de lunettes ? marmonna Traquenard en sautillant comme un boxeur. Ces chats étaient énormes. Leurs moustaches étaient aussi longues que ma queue. Et leurs griffes, vous vous souvenez de leurs griffes ? On aurait dit des rasoirs, si affûtés qu'ils vous auraient dépecé une souris en un clin d'œil !

Zic zac !

... et il coupa une pomme en **4** avec son couteau.
Puis il soupira :

– Bon, d'accord...

Et il conclut, en offrant à chacun un quartier de pomme en signe de paix :

– Mais je jure que c'étaient les chats les plus **GROS** que j'aie jamais vus !

– Évidemment, ricana Téa dans ses moustaches, tu n'avais jamais vu de chat avant !

SOURISIA
LA DOUCE

Peut-on dire d'une terre qu'elle est douce ?

Le vent en poupe, nous retournions enfin à l'île où nous avions laissé notre cœur, Sourisia, Sourisia la douce.

Benjamin grimpa au sommet du grand mât et, de là-haut, *agita son chapeau de pirate.*

C'est si bon de rentrer chez soi... *Je* **DÉTESTE** *les voyages !* Je retrouvai avec émotion la statue qui salue les marins à l'entrée du port de Sourisia.

C'est la statue de la Liberté, qui **brandit** un morceau de fromage. C'est le symbole de notre île, et elle est chère au cœur de tous les rongeurs.

Nous passâmes devant les bureaux de la capitainerie du port. À travers les vitres, nous aperçûmes les museaux stupéfaits de souris en uniforme. Ce n'est pas tous les jours qu'on voit accoster un galion pirate !

– Montrons-leur ce que saluer veut dire ! criai-je.

Nous nous inclinâmes solennellement, et les plumes de nos chapeaux de pirate effleurèrent le sol.

– Vive Sourisia !

criâmes-nous en chœur, tandis que Traquenard faisait éclater une salve depuis les cent canons du bateau.

Les embarcations que nous croisions nous cédaient le passage avant de se placer dans notre sillage pour former un cortège d'honneur.

– Nous allons être célèbres, mes amis !

glapissait Traquenard en se pavanant sur le pont, comme si c'était lui le propriétaire du bateau.

Et il distribuait à tout vent de *majestueux saluts.*

– S'ils ont déjà les moustaches qui en tombent de stupéfaction, qu'est-ce que ça va être quand ils verront le trésor ! m'écriai-je, tout excité.

Et j'improvisai une gigue sur le pont, au risque de passer par-dessus bord.

Nous amenâmes les voiles. Le Griffe d'argent s'ancra solennellement au centre du port. Nous mîmes une chaloupe à la mer et rejoignîmes la rive à la rame.

Vous ne pouvez imaginer le nombre de rongeurs qui nous observaient sur le quai, bouche bée !

Une rumeur parcourait la foule :

– D'où arrivent-ils ? Et d'où vient cet énorme galion d'argent ? Pourquoi a-t-il des canons ? Et ce drapeau avec des têtes de mort ? Tu as vu leur accoutrement ! Mais, ma parole, c'est *Geronimo Stilton*, le directeur de *l'Écho du rongeur* ! Mais oui, c'est *Stilton*, celui qui avait semé une sacrée pagaille avec ses PAGES JAUNES... Tu te rappelles, toutes les adresses étaient fausses ! Sapristi, tu as raison ! Regarde, il y a aussi sa sœur, Téa Stilton ! Comme elle est mignonne, quels beaux yeux violets !

Sapristi !

PARDONNÉ !

Interviews dans les journaux, à la radio, à la télévision : tout le monde voulait entendre le récit de notre grande aventure.

Nous étions devenus des héros nationaux !

Non seulement nous avions vaincu et neutralisé les **chats pirates**, en les reléguant sur l'île des Soupirs... mais, surtout, nous avions rapporté à Sourisia le légendaire *écu d'argent*, que les pirates nous avaient subtilisé à l'époque de la Grande Guerre contre les Chats. Nous décidâmes de faire don à la ville du *galion d'argent*, qui fut transformé en musée d'histoire du peuple des Souris.

Notre succès fut tel que la... euh... la petite mésaventure des **PAGES JAUNES**, avant mon départ, fut pardonnée. Pourtant, certains des exemplaires bourrés d'erreurs continuaient à circuler et, de temps en temps, quelqu'un téléphonait à la rédaction pour passer commande d'un stock de papier hygiénique *Le Simoelleux*.

Quant à moi, j'avais hâte de raconter dans un livre tout ce qui nous était arrivé ! Je m'enfermai chez moi et me mis à écrire. La rencontre avec Souricier et Pistachon, la prison, notre évasion, l'assaut contre les pirates, le voyage de retour : *tout était dans mon journal!*

En moins d'un mois, le livre était prêt.

J'avais déjà décidé du titre : LE GALION DES CHATS PIRATES.

Et le nom de la collection ?

HISTOIRES POUR RIRE, bien sûr !

Moi, j'ai du flair pour repérer les best-sellers !!! Ça allait devenir un best-seller, j'en étais sûr...

ÎLES, PIZZAS
ET VALISES

Et le trésor ? Chacun de nous fit un usage
différent de sa part. Ma sœur a acheté une
petite île au nord-est de Sourisia, un parc naturel
où toutes les espèces en voie d'extinction
sont protégées.

Puis elle a fait construire un énorme catamaran à bord duquel elle sillonne de **long** en **large** les mers autour de Sourisia. À propos, elle a réussi à vendre la chanson des pirates à une maison de disques, et ça a été un succès phénoménal !

Et Traquenard ? Je ne peux pas allumer la télévision sans qu'y paraisse la tête de mon cousin. Un bandeau noir sur l'œil, il agite un petit drapeau avec des tibias entrecroisés. Puis, clignant outrageusement de l'œil, il s'exclame :

– Je vous attends à la pizzeria LE GALION DU PIRATE !

Après quoi, il nous serine son slogan :

TOUS À L'ABORDAGE
POUR LA PIZZA AU FROMAGE !

Enfin, pour épater les téléspectateurs, il s'élance dans le vide, accroché à une corde et serrant entre les dents un morceau de pizza FUMANT. Ce gros malin a ouvert une chaîne de restaurants. Les garçons qui vous servent la pizza au fromage sont habillés en pirate. Des centaines de rongeurs font la queue pour y dîner : je vous le promets, je les ai vus de mes yeux !

Ah, le pouvoir de la publicité...

Enfin, savez-vous ce qu'on a décidé, Benjamin et moi ?

Vous ne devinerez jamais...

À l'heure où je vous parle, je suis en train de faire mes valises. Je pars, ou plutôt nous partons, pour un tour du monde qui durera toute une année.

J'ai compris que les voyages, c'est beau, c'est même **MERVEILLEUX** !!!

TABLE DES MATIÈRES

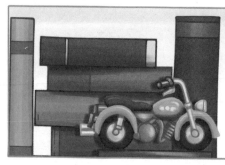

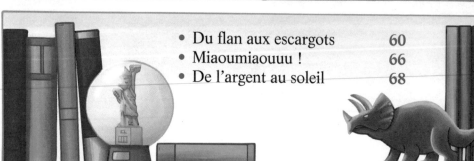

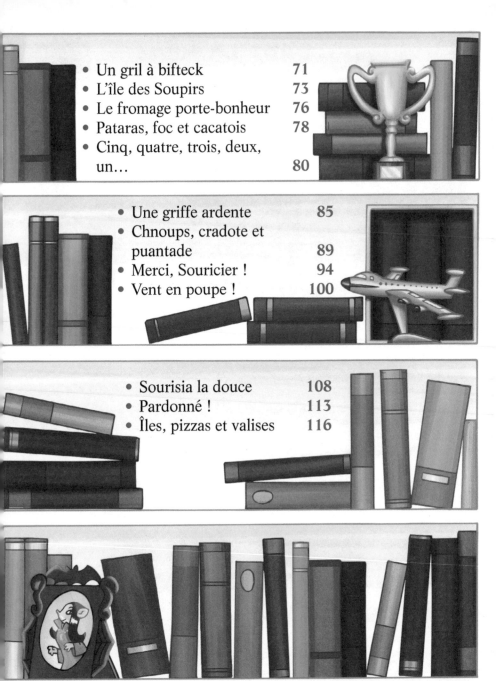

SOURISIA, LA VILLE DES SOURIS

1 Zone industrielle de Sourisia
2 Usine de fromages
3 Aéroport
4 Télévision et radio
5 Marché aux fromages
6 Marché aux poissons
7 Hôtel de ville
8 Château de Snobinailles
9 Sept collines de Sourisia
10 Gare
11 Centre commercial
12 Cinéma
13 Gymnase
14 Salle de concerts
15 Place de la Pierre-qui-Chante
16 Théâtre Tortillon
17 Grand Hôtel
18 Hôpital
19 Jardin botanique
20 Bazar des Puces-qui-boitent
21 Maison de tante Toupie et de Benjamin
22 Musée d'Art moderne
23 Université et bibliothèque
24 La Gazette du rat
25 L'Écho du rongeur
26 Maison de Traquenard
27 Quartier de la mode
28 Restaurant du Fromage d'or
29 Centre pour la Protection de la mer et de l'environnement
30 Capitainerie du port
31 Stade
32 Terrain de golf
33 Piscine
34 Tennis
35 Parc d'attractions
36 Maison de Geronimo Stilton
37 Quartier des antiquaires
38 Librairie
39 Chantiers navals
40 Maison de Téa
41 Port
42 Phare
43 Statue de la Liberté
44 Bureau de Farfouin Scouit
45 Maison de Patty Spring
46 Maison de grand-père Honoré

ÎLE DES SOURIS

AU REVOIR, CHERS AMIS RONGEURS,
ET À BIENTÔT POUR DE NOUVELLES AVENTURES.
DES AVENTURES AU POIL,
PAROLE DE STILTON, DE...

Geronimo Stilton